CASSE-MOI L'OS !

SALAH BEN MEFTAH • ROMAIN EYHERAMENDY • YVES HIRSCHFELD

CASSE-MOI L'OS !

PARLEZ-VOUS
FRANCOPHONE ?

JEU EN 180 QUESTIONS

LE LIVRE DE POCHE

Elza, Emilio, Leana, Leïla, Lison, Nahia, Romane et Timothée sont vivement remerciés pour leur indéfectible soutien à leurs Papa et Papy respectifs.

INTRODUCTION

Vous allez donc voyager dans le monde de la franco-phonie! Tant de mots et d'expressions drôles, poétiques ou imagées qui vont vous surprendre! Oui, on parle français ailleurs... mais pas forcément celui que vous pratiquez tous les jours! Partout, on adapte la langue aux usages, aux coutumes, et on invente des tournures, parfois elliptiques, hautes en couleur et en humour...

Nous ne sommes ni linguistes, ni lexicographes, mais passionnés par les jeux, les voyages et les mots. Vous n'avez peut-être pas eu l'occasion de faire des séjours, plus ou moins longs, aux quatre coins de la planète – de Québec à Yaoundé –, dans des contrées où l'on parle aussi français... Voici quelques mots et expressions entendus au fil de nos pérégrinations!

RÈGLES DU JEU

Si vous êtes seul : Naviguez à votre guise de page en page et piochez au gré des expressions qui vous intriguent. Tentez d'en élucider les mystères en devinant leurs significations, puis découvrez les explications au verso de la page.

Si vous êtes plusieurs : Un lecteur-joueur pose des questions à l'autre ou aux autres participants. Le premier qui trouve la bonne explication marque des points. À la fin de l'ouvrage, vous trouverez une grille pour reporter les scores.

Deux types de jeux vous sont proposés :

DEVINEZ une expression.

Une proposition vous est faite en trois temps.

Marquez une pause après la lecture de son énoncé (étape 1). Qui peut en deviner le sens ? Personne ? Alors, lisez le premier indice (étape 2) et marquez à nouveau un temps. Si personne ne trouve, lisez le second indice (étape 3).

Le joueur qui trouve le sens de l'expression dès la première étape marque **3 points**. Celui qui découvre la solution lors de la deuxième étape remporte **2 points** et celui qui perce le mystère à la troisième étape gagne **1 point**.

QUIZ

Le principe est connu ! Posez une question à vos amis et suggérez quatre réponses possibles. On compte jusqu'à 3 et tout le monde lève la main en même temps.

– 1 doigt levé correspond à la réponse A
– 2 doigts à la réponse B
– 3 doigts = C
– 4 doigts = D

3 points sont attribués à ceux qui ont trouvé la bonne réponse.

Bon pied la route !

....

1. DEVINEZ

Casse-moi l'os, mon ami !

Indice 1 : Faisons la paix !

Indice 2 : Mais rassure-moi, tu t'es lavé les mains ?

....

2. QUIZ

Camembérer, c'est :

A. Baver, postillonner.

B. Être amateur de fromages.

C. Sentir mauvais des pieds.

D. Se taire.

....

3. DEVINEZ

Quelle nuit épouvantable ! J'ai **eu la chienne** entre 3 et 4 heures du matin.

Indice 1 : J'ai même eu des sueurs.

Indice 2 : Heureusement, ce n'était qu'un cauchemar.

1. DEVINEZ
CASSE-MOI L'OS !
Serre-moi la main ! ▶ CAMEROUN

Référence à la façon particulière qu'on a de se serrer la main en Afrique : on fait claquer ses deux doigts – le majeur et le pouce – avec ceux de la personne saluée. Cela produit un bruit sec qu'on assimile à un craquement, comme un os qui se casse.

2. QUIZ
CAMEMBÉRER
Sentir mauvais des pieds ▶ SÉNÉGAL

Qui diable a eu l'idée de faire voyager ce célèbre fromage normand, réputé pour son odeur puissante, au point que même les Sénégalais y aient associé celle des pieds ?

3. DEVINEZ
AVOIR LA CHIENNE
Avoir peur ▶ QUÉBEC

L'origine de cette expression, pourtant très usitée, n'est pas claire. En France, on parlerait de « peur bleue », « trouillomètre à zéro », d'« avoir les jetons » ou « les chocottes »...

4. DEVINEZ

Il a **avalé la queue d'un chat**.

Indice 1 : Il n'était pas assez couvert, en assistant au
match.

Indice 2 : Il n'a pas pu encourager son équipe.

5. QUIZ

Fréquenter **un tournedos**,
c'est fréquenter :

A. Une personne timide.
B. Un bar.
C. Un ostéopathe.

D. Une association des
amateurs d'andouillette
authentique.

6. DEVINEZ

J'ai **passé la nuit sur la corde à linge**.

Indice 1 : Ce matin, je suis crevé(e).
Indice 2 : Je ne tiendrai pas la journée.

4. DEVINEZ
AVALER LA QUEUE D'UN CHAT
Être enroué ▶ SUISSE

Le « chas » est un mot ancien, qui désigne le grumeau que l'on trouve dans une sauce. Par association d'idées, être enroué se disait donc « avoir un chas dans la gorge », puis, par homophonie, « avoir un chat dans la gorge ». En Suisse, visiblement, la queue de l'animal suffit !

5. QUIZ
UN TOURNEDOS
Un bar ▶ CAMEROUN

Petit kiosque où étudiants et fonctionnaires se retrouvent à l'heure de la pause pour se restaurer et boire un verre. L'expression est née de l'observation des clients qui, en prenant leur consommation, tournent le dos à la rue. Également appelé maquis, gargote, circuit...

6. DEVINEZ
PASSER LA NUIT SUR LA CORDE À LINGE
Passer une nuit agitée, mal dormir ▶ QUÉBEC

Lorsqu'on passe une nuit blanche et particulièrement après avoir fait des excès festifs, on se sent secoué, ça balance dans la tête, un peu comme du linge suspendu à un fil, soumis aux soubresauts du vent.

7. QUIZ

À l'école, **un vieux cahier** désigne :

A. Un redoublant.

B. Le carnet de correspondance.

C. Le directeur de l'établissement.

D. Un manuel d'histoire.

8. DEVINEZ

Il **fouille patate** devant tout le monde.

Indice 1 : Quel manque d'éducation, ça me dégoûte !

Indice 2 : Je vais lui acheter des mouchoirs.

9. QUIZ

Mon copain Fabien passe un temps fou au **tire-pipe.** De quoi s'agit-il ?

A. Un commissariat.

B. Un stand de tir.

C. Un bar-tabac.

D. Un salon de massage.

7. QUIZ
UN VIEUX CAHIER
Un redoublant ▶ CAMEROUN

Vient du cahier du redoublant qui est usé à force d'être utilisé.

8. DEVINEZ
FOUILLER PATATE
Se mettre le doigt dans le nez ▶ FRANCE, ANTILLES

Aux Antilles, un gros nez est souvent comparé à une pomme de terre (patate).
Certains y fouillent pour y chercher matière.

9. QUIZ
UN TIRE-PIPE
Un stand de tir ▶ SUISSE

Vient de la fête foraine : durant des générations, on tirait à la carabine sur des cibles de terre cuite en forme de pipes.

10. DEVINEZ

Longtemps, je l'ai connu sans **couverture pays**.
Indice 1 : Il était si timide à l'époque.
Indice 2 : Puis il a rencontré l'amour.

11. QUIZ

Qu'est-ce qu'**un tais-toi** ?

A. Un petit billet pour soudoyer.

C. Une friandise pour calmer les enfants.

B. Un voile intégral.

D. Un patron intolérant.

12. DEVINEZ

Elle **le voit dans sa soupe**.
Indice 1 : Elle n'en dort plus la nuit.
Indice 2 : Qu'est-ce qu'il attend pour l'épouser ?

10. DEVINEZ

COUVERTURE PAYS

Petite amie ou épouse ▶ FRANCE, ÎLE DE LA RÉUNION

Expression qui désigne l'amoureuse (officieuse ou officielle) qui vous réchauffe sous la couette. Autre manière de le dire : ça y est, j'ai une petite amie, avec qui passer l'hiver au chaud !

11. QUIZ

UN TAIS-TOI

Un billet pour soudoyer, bakchich ▶ CÔTE D'IVOIRE

Le « tais-toi » parle de lui-même.
Hélas, tout s'achète aujourd'hui, même le silence. Nous n'en dirons pas plus !

12. DEVINEZ

VOIR QUELQU'UN DANS SA SOUPE

Être follement amoureux ▶ QUÉBEC

Lorsqu'on est amoureux, on voit partout et tout le temps la personne que l'on aime, en rêve... et même en mangeant sa soupe.

13. QUIZ

Qu'est-ce qu'**une borne hydrante** ?

A. Un brumisateur de terrasse.

B. Une station de lavage.

C. Une borne d'incendie.

D. Une histoire triste à pleurer.

14. DEVINEZ

Bonne nouvelle ! On va **charroyer** en juin !

Indice 1 : Avec ton camion, tu pourras nous aider ?

Indice 2 : On a peu de meubles...

15. DEVINEZ

Je **cogne des clous** sur mon canapé.

Indice 1 : J'ai hâte que mes invités partent.

Indice 2 : Il faut vite que je retrouve mon lit.

13. QUIZ
UNE BORNE HYDRANTE
Une borne d'incendie ▶ SUISSE

Hydrant vient de l'anglais *fire hydrant* (bouche d'incendie), dont la première fut conçue par James Henry Greathead, ingénieur anglais du XIXe siècle.
➡ Se dit aussi *borne fontaine* au Québec.

14. DEVINEZ
CHARROYER
Déménager, partir avec tous ses effets
personnels ▶ FRANCE, ANTILLES

Viendrait d'un mot devenu rare en France, *charrier*, qui signifie «transporter dans un chariot, dans une charrette». *Charroyer* est la version créolisée, qui se prononce «cha-ro-yé».

15. DEVINEZ
COGNER DES CLOUS
Lutter contre le sommeil ▶ QUÉBEC

L'image est explicite : une personne épuisée pique du nez aussi brutalement qu'un marteau frappant un clou.

....

16. QUIZ

Tu ne devineras jamais ce qu'il m'est
arrivé ? Je me suis retrouvé à **l'amigo**.

A. Trompé.　　　　　　**C.** En prison.
B. À la fourrière.　　　　**D.** Ruiné.

....

17. DEVINEZ

Je l'ai vu **virguler** à hauteur
de ce croisement.

Indice 1 : Il a re-virgulé au niveau de cet arbre.
Indice 2 : Je ne l'ai plus revu.

....

18. DEVINEZ

En ce moment, j'ai **des maux de poche**.

Indice 1 : C'est souvent le cas en fin de mois.
Indice 2 : Tu peux m'avancer un peu d'argent ?

16. QUIZ
L'AMIGO
La prison, le dépôt ▶ BELGIQUE

Au XVIe siècle, Bruxelles était sous domination espagnole. Les militaires espagnols ont confondu deux mots flamands dont la sonorité est proche : *vroende*, qui signifie « prison », et *vrunt*, qui signifie « ami ». C'est ainsi qu'en traduisant, ils ont appelé le cachot de police l'*amigo* (« ami » en espagnol) !

17. DEVINEZ
VIRGULER
Bifurquer ▶ TCHAD

Cela désigne ici le piéton qui change brutalement de direction. L'expression est une analogie avec la forme d'une virgule, qui rappelle celle d'un détour.

18. DEVINEZ
MAUX DE POCHE
Problèmes d'argent ▶ CAMEROUN

Au Cameroun, on évoque les problèmes d'argent par analogie avec des problèmes de santé. Comme c'est souvent dans la poche des vêtements que l'on glisse sa monnaie ou son portefeuille, on parle de « maux de poche », comme des « maux de ventre » ou des « maux de tête ».

➔ En France, on dit par exemple d'un radin qu'« il a des oursins dans les poches ».

....
19. QUIZ

Comme tu peux le constater, **tout est vieux** par ici !

A. Le coin est sinistre.   **C.** Rien de neuf.
B. Je vieillis doucement.   **D.** C'était mieux avant.

....
20. DEVINEZ

On est ensemble, mon ami.
Indice 1 : Mais je dois vraiment partir.
Indice 2 : On se revoit dans quelques jours.

....
21. DEVINEZ

Qu'est-ce que Martin joue bien du **ruine-babines**.
Indice 1 : Surtout le blues.
Indice 2 : Il souffle dedans comme un dieu !

19. QUIZ
TOUT EST VIEUX.
Rien de neuf ▶ RÉPUBLIQUE DU CONGO

Formule qui inverse et prend le contre-pied de l'expression consacrée « rien de neuf ». Question de point de vue !

20. DEVINEZ
ON EST ENSEMBLE.
On garde le contact ▶ AFRIQUE (TRÈS RÉPANDU)

Formule chaleureuse et empathique pour indiquer à son interlocuteur, en le quittant, que l'on a hâte de le retrouver, et que le lien n'est pas rompu. Voilà qui est plus affectueux que les formules « On se rappelle », « On se fait signe » ou « On s'en reparle », voire le prosaïque « À la revoyure ! ».

21. DEVINEZ
LE RUINE-BABINES
L'harmonica ▶ QUÉBEC

Le mot « ruine » fait allusion à la chute, à l'écroulement. « Babines » désigne, familièrement, les lèvres. Et c'est vrai que les lèvres sont soumises à rude épreuve en pratiquant cet instrument !

22. QUIZ

On parle de **cadonner** lorsqu'on...

A. Fait un cadeau.

B. Fait ses courses.

C. Cajole, montre sa tendresse par des gestes doux.

D. Ferme quelque chose à double tour.

23. QUIZ

Que désigne **un sous-marin** ?

A. Une boîte de nuit.

B. Une antisèche.

C. Un sandwich.

D. Un espion.

24. DEVINEZ

J'ai **piqué un soleil** sur la plage...

Indice 1 : Quand cette jolie fille m'a abordé.

Indice 2 : Je pense qu'elle a vu mon trouble.

22. QUIZ

CADONNER

Offrir un présent, faire un cadeau ▶ TCHAD

Contraction de « cadeau/donner » = *cadonner*. On vous *cadonne* volontiers cette explication !

➡ Au Cameroun, on dit aussi *cadeauter*.

23. QUIZ

UN SOUS-MARIN

Un sandwich ▶ QUÉBEC

La forme allongée d'une baguette de pain rappelle celle d'un sous-marin.

➡ En Afrique francophone, le *sous-marin* désigne « l'amant ».

24. DEVINEZ

PIQUER UN SOLEIL

Devenir rouge de confusion ▶ FRANCE, ÎLE DE LA RÉUNION

« Piquer un fard » exprime la rapidité avec laquelle notre visage, sous le coup de l'émotion, prend la couleur rouge du fard à joues. Par analogie, le fard a été remplacé par le (coup de) soleil.

25. QUIZ

Qu'est-ce qu'**un gratte-la-cenne**?

A. Un grand immeuble.
B. Un grippe-sou.
C. Un gant de toilette.

D. Un jeune affublé d'acné juvénile.

26. DEVINEZ

Clément **se dallasse** trop.

Indice 1 : Il se prend pour le roi du monde.
Indice 2 : Non, mais quel prétentieux !

27. QUIZ

On risque gros avec **un copion** dans sa poche. De quoi s'agit-il ?

A. Une arme blanche.
B. Une antisèche.
C. Une bouteille d'alcool.

D. Un portefeuille un peu garni.

25. QUIZ
UN GRATTE-LA-CENNE
Un grippe-sou ▶ QUÉBEC

La *cenne* est une pièce de monnaie québécoise (équivalent du centime en Europe) à l'origine d'expressions du type « J'ai pas une cenne » qui signifie « Je suis sans le sou ». Et un *gratteur* désigne en argot un « pique-assiette » qui cherche à se faire entretenir.

26. DEVINEZ
SE DALLASSER
Être « m'as-tu-vu », frimer ▶ CÔTE D'IVOIRE

Référence à la célèbre série télé américaine *Dallas*, dans laquelle les personnages principaux (J.R. en tête) apparaissent comme « bling-bling ».

27. QUIZ
UN COPION
Une antisèche ▶ BELGIQUE

Vient du verbe « copier ». En Belgique, le mot désigne également la copie d'un extrait de cours, destinée à servir d'aide-mémoire lors d'un examen.

....
28. DEVINEZ

J'ai hâte de **m'enjailler** avec mes amis
d'enfance.

Indice 1 : J'espère qu'ils seront tous en forme.

Indice 2 : Quand je les ai revus, je savais qu'on allait
passer une soirée mémorable.

....
29. DEVINEZ

Il **s'est fait passer un sapin**.

Indice 1 : Je l'avais pourtant prévenu plus d'une fois...

Indice 2 : Je lui avais dit de ne pas faire confiance à ce
type.

....
30. QUIZ

Lorsque je cherche mon **ziboulateur**,
je cherche :

A. Mon sèche-cheveux.   **C.** Mon slip.

B. Mon tire-bouchon.   **D.** Mon aspirateur.

28. DEVINEZ

S'ENJAILLER

S'amuser, passer du bon temps ▶ CÔTE D'IVOIRE

Vient de l'anglais *enjoy* qui signifie, dans son sens le plus répandu, « s'amuser », « apprécier », mais aussi « tomber amoureux ».

➡ *S'enjailler* est un mot nouchi qui relève du langage de rue, issu d'un mélange de français et de plusieurs langues de Côte d'Ivoire, apparu dans les années 1980, et qui est très utilisé dans la musique populaire ivoirienne.

29. DEVINEZ

SE FAIRE PASSER UN SAPIN

Se faire escroquer ▶ QUÉBEC

Au Québec, lorsqu'on achète du bois pour fabriquer une maison, on n'a qu'une crainte : se retrouver avec des planches de sapin, qui est un bois de qualité médiocre pour les constructions.

30. QUIZ

UN ZIBOULATEUR

Un tire-bouchon ▶ RÉPUBLIQUE CENTRAFRICAINE

Vient du verbe *zibula*, qui en lingala signifie « ouvrir ». Mot à consommer avec modération.

....

31. DEVINEZ

Attention, **ta bouche est cassée**.
Indice 1 : Tu risques de te couper.
Indice 2 : Change de verre !

....

32. QUIZ

Quand on vous dit « **bonne arrivée** »,
on vous souhaite :

A. Une bonne fin de
soirée.

B. Un heureux événement.

C. Un bon voyage.

D. La bienvenue.

....

33. DEVINEZ

Un appartement ne s'achète pas **en criant lapin**.
Indice 1 : Il faut en visiter plusieurs.
Indice 2 : Il faut aussi du temps pour constituer le
dossier.

31. DEVINEZ
LA BOUCHE EST CASSÉE.
Le verre est ébréché ▶ BURKINA FASO

Tout le monde sait que si l'on boit dans un verre fêlé, on risque de se couper les lèvres. Serait-ce le meilleur moyen de se fendre la gueule?

32. QUIZ
BONNE ARRIVÉE!
Bienvenue! ▶ AFRIQUE (RÉPANDU)

C'est une façon élégante et chaleureuse de vous accueillir.

33. DEVINEZ
CRIER LAPIN
En un rien de temps, d'un claquement de doigts ▶ QUÉBEC

L'explication la plus plausible vient des marchands à la criée qui arpentaient les rues des grandes villes d'Europe et d'Amérique jusqu'à la fin du xxe siècle. Avec ces vendeurs ambulants qui criaient le nom de l'objet qu'ils vendaient (couteaux, fusils, lapins...), les affaires se concluaient en un rien de temps.

34. DEVINEZ

Marwan **bat quatre as**.

Indice 1 : À chaque fois que je joue contre lui, il gagne.
Indice 2 : Je ne jouerai plus avec lui.

35. QUIZ

Qu'est-ce qu'un **VDB** ?

A. Veut Du Bien (quelqu'un de bienveillant, un peu naïf).

B. Valeureux Du Bar (un pilier de comptoir).

C. Vient Directement de la Brousse (un paysan).

D. Vieux Diable Bougon (homme réputé pour son mauvais caractère).

36. QUIZ

C'est **une wassingue** pour les Picards et dans le nord de la France. De quoi s'agit-il ?

A. Une brocante.
B. Une pinte de bière.
C. Une serpillière.
D. Un bouquet de fleurs.

34. DEVINEZ
BATTRE QUATRE AS
Être imbattable ▶ QUÉBEC

On a dû se mettre en quatre pour trouver l'explication de cette expression. Au poker, l'as est considéré comme la meilleure carte, et la combinaison des quatre as vous rend pratiquement invincible.

35. QUIZ
VDB
Vient Directement de la Brousse ▶ BURKINA FASO

Locution péjorative utilisée par les citadins pour désigner les paysans.
➡ En métropole, on a aussi beaucoup de termes méprisants : bouseux, pedzouille, manant, cul-terreux, cambroussard, péquenaud...

36. QUIZ
UNE WASSINGUE
Une serpillière ▶ FRANCE, HAUTS-DE-FRANCE

Terme picard issu du flamand *wassen* (laver), *wassching* (lavage), des mots dérivés de l'anglais *wash* (laver), qui traduit bien sa fonction originelle.
➡ Traversez la frontière belge et elle se rebaptisera « loque à reloqueter ».

....
37. QUIZ

Le dévaloir désigne :

A. Un vide-ordures.
B. Une dette.

C. Un manque de confiance.
D. Une piste de ski.

....
38. QUIZ

S'il me prend l'envie de **clavarder**, c'est que...

A. Je veux ranger mon bureau.
B. Je me mets à parler pour ne rien dire.

C. J'ai envie de faire une sieste.
D. J'entame une conversation sur Internet (je chate).

....
39. DEVINEZ

J'adore mon **deuxième bureau**.

Indice 1 : Mais ma vie devient très compliquée...
Indice 2 : Surtout, pas un mot à Sylvie !

37. QUIZ
LE DÉVALOIR
Le vide-ordures ▶ SUISSE

Dérive du verbe « dévaler », car le vide-ordures sert à jeter les saletés le long d'un conduit, pour atterrir dans des poubelles en sous-sol.

38. QUIZ
CLAVARDER
Chatter, échanger à distance *via* un ordinateur ▶ QUÉBEC

Mariage des mots « clavier » et « bavarder ».
➡ À ne pas confondre avec le verbe *cafarder* qui ne signifie pas « établir le dialogue avec un cafard ». De même que *caviarder* n'invite pas à « manger du caviar à même son clavier ».

39. DEVINEZ
LE DEUXIÈME BUREAU
Avoir une maîtresse ▶ AFRIQUE (TRÈS RÉPANDU)

Vient du fait que l'homme infidèle dit à sa femme qu'il va au bureau alors qu'il va retrouver sa maîtresse.

40. QUIZ

Avoir **des bidous**, c'est avoir :

A. De l'argent.

B. Des enfants.

C. Des flatulences.

D. Des poux.

41. QUIZ

Je suis en quête d'**une balle perdue** lorsque je cherche :

A. Mon enfant illégitime.

B. Mon véhicule emporté en fourrière.

C. Mon dû lors d'un héritage.

D. Mon ex.

42. DEVINEZ

Filomena est vraiment **grinche**.

Indice 1 : Ce n'est pas le moment de lui parler.

Indice 2 : Elle pourrait sortir de ses gonds.

40. QUIZ
DES BIDOUS
De l'argent ▶ QUÉBEC

Les *bidous* sont un dérivé du vieux français « bidet » qui était une monnaie du nord de la France jusqu'au XVIIe siècle.

41. QUIZ
UNE BALLE PERDUE
Un enfant illégitime ▶ TOGO

➡ Dans le Val d'Aoste, on vous dira que c'est un « enfant de fortune », fruit du pur hasard !

42. DEVINEZ
GRINCHE
De mauvaise humeur, râleur ▶ SUISSE

Vient de l'adjectif « grincheux », qui a été immortalisé par l'un des sept nains. Et si vous n'êtes pas contents de notre explication, c'est pareil !

43. DEVINEZ

Il y a une saison pour aller aux **cagouilles**.
Indice 1 : Elles adorent l'humidité.
Indice 2 : Moi, je les mange avec de l'ail.

44. QUIZ

Ça me **sucre le cœur** de la revoir, signifie :

A. Ça me déchire le cœur.
B. Ça me réjouit.
C. Ça me donne la nausée.
D. Je crains de retomber amoureux d'elle.

45. QUIZ

Ça, c'est bien mon frère, il **a** toujours **le va-va**.

A. Il a le rythme dans la peau.
B. Il est de nature mélancolique.
C. Il a toujours envie de partir.
D. Il est du genre hésitant.

43. DEVINEZ
LES CAGOUILLES
Les escargots ▶ FRANCE, CHARENTE

Mot qui vient de l'occitan *cahhola*, tellement usité par les Charentais pour désigner les gastéropodes dont ils sont si friands qu'ils se nomment même entre eux les *cagouillards*.

44. QUIZ
SUCRER LE CŒUR
Se réjouir ▶ BURKINA FASO

Dans de nombreuses expressions, le sucre et le miel sont associés au plaisir et à la douceur.

45. QUIZ
AVOIR LE VA-VA
Avoir envie de partir ▶ SUISSE

Vient du verbe «aller» qui contient la notion de déplacement. On dit aussi «avoir la bougeotte». On ne demande pas pour autant «comment tu vas-vas?» et on ne répond donc pas «bien, bien, merci, merci».

46. QUIZ

Qu'est-ce qu'un **la France au revoir**?

A. Un expatrié fraîchement débarqué.

B. Un migrant reconduit à la frontière.

C. Une voiture d'occasion importée d'Europe.

D. Une entreprise qui se délocalise de la France vers le Cameroun.

47. QUIZ

Si une femme est en train de **magasiner**, que fait-elle exactement?

A. Elle lit des magazines.

B. Elle fait du lèche-vitrines.

C. Elle met de l'ordre dans sa garde-robe.

D. Elle vend des produits sur les marchés.

48. QUIZ

Ça fait deux ans maintenant qu'il a un beau **brise-nouilles**.

A. Une perruque.

B. Un dentier.

C. Un imperméable.

D. Un enfant turbulent.

46. QUIZ
LA FRANCE AU REVOIR
Voiture d'occasion importée de France
▶ AFRIQUE (RÉPANDU)

Expression qui désigne toutes les vieilles voitures affichant des centaines de milliers de kilomètres au compteur et qui sont importées par bateau en Afrique. Sans passer par la case contrôle technique, elles quittent définitivement la métropole et semblent s'exclamer « au revoir la France » pendant la traversée...

47. QUIZ
MAGASINER
Faire du lèche-vitrines ▶ QUÉBEC

On dit aussi « faire du magasinage », calqué sur « faire du shopping », car, contrairement à la France, cet anglicisme n'est pas utilisé au Québec.

48. QUIZ
UN BRISE-NOUILLES
Un dentier ▶ SUISSE

Quand on a du mal à manger des nouilles, réputées pour leur mollesse, c'est qu'il y a urgence à porter un dentier !

49. QUIZ

Il « **mouille à siaux** » est une expression qui signifie :

A. Transpirer beaucoup.

B. Pleuvoir à verse.

C. Prendre son bain.

D. Jeter l'ancre.

50. QUIZ

Si je te dis « **boulette ou quoi ?** », je te demande :

A. Si tu as faim.

B. Si tu as fait une bêtise.

C. Si tu veux encore de la viande.

D. Comment vas-tu ?

51. DEVINEZ

Les **mange-mille** sont à l'affût.

Indice 1 : Redoublons de vigilance.

Indice 2 : Les contrôles se multiplient.

Solutions

49. QUIZ
MOUILLER À SIAUX
Pleuvoir à verse ▶ QUÉBEC

Siaux est une façon ancienne, parfois encore utilisée, de prononcer «seaux». Littéralement, cela signifie qu'il pleut si fort que tout est mouillé comme si l'on versait des seaux d'eau sur le sol. Une affaire dans laquelle tout le monde finit mouillé.

50. QUIZ
BOULETTE OU QUOI?
Comment vas-tu? ▶ FRANCE, NOUVELLE-CALÉDONIE

Les boulettes désignent les muscles, les biceps, qui traduisent le fait d'avoir du tonus, d'être en forme. En France, on dirait: «T'as la pêche?» Le genre d'expressions qui donnent la patate!

51. DEVINEZ
LES MANGE-MILLE
Policiers corrompus, véreux ▶ CAMEROUN

Cette locution imagée dériverait initialement de l'oiseau mange-mil qui décimait les récoltes de mil.
Une autre explication possible, plus tardive, vient du billet de 1 000 francs, qu'il fallait donner au policier peu scrupuleux, pour qu'il ferme les yeux sur un délit.

52. DEVINEZ

Je sais ce qu'il lui faudrait
pour le **remettre sur le piton**.
Indice 1 : De la bonne soupe aux poireaux…
Indice 2 : … et une bonne séance de massage.

53. QUIZ

Si l'on te demande si tu **fréquentes** encore,
c'est pour savoir si :

A. Tu es toujours en couple.

C. Tu dragues toujours autant.

B. Tu es toujours étudiant.

D. Tu es toujours aussi mal entouré.

54. DEVINEZ

J'ai besoin de **protègements**,
ces temps-ci !
Indice 1 : J'accumule les galères.
Indice 2 : Je dois attirer le mauvais œil.

52. DEVINEZ
REMETTRE SUR LE PITON
Remettre d'aplomb, de bonne humeur ▶ QUÉBEC

L'origine de cette expression reste un mystère. Le mot *piton* désigne en québécois un bouton sur lequel on appuie pour actionner un mécanisme ou un appareil (pianoter, zapper...).

53. QUIZ
FRÉQUENTER
Être étudiant ▶ CAMEROUN

Dérive de périphrases telles que « fréquenter les bancs de l'école » et « taux de fréquentation », qui évoquent la scolarisation. Au Cameroun, « je fréquente » a fini par se substituer à « je suis étudiant ».

54. DEVINEZ
PROTÈGEMENT
Objet pour se prémunir contre le mauvais sort
▶ FRANCE, ANTILLES

Aux Antilles notamment, on a recours à des objets pour se protéger contre les maléfices ou les ensor-cellements. Le verbe « protéger » a été transformé en nom commun pour désigner les objets qui protègent, tels les amulettes, les talismans, les gris-gris et divers porte-bonheurs...

55. DEVINEZ

Ils **se sont touché les cinq sardines**.
Indice 1 : Quand le match de tennis s'est terminé.
Indice 2 : C'est une manière sympathique de se féliciter.

56. DEVINEZ

J'en suis arrivé à **manger mes bas**.
Indice 1 : Je n'ai plus d'appétit depuis son départ.
Indice 2 : Je n'ai plus de goût à rien.

57. QUIZ

Que veut dire **mouiller la barbe** ?

A. Boire cul sec.

C. Se raser de près.

B. Faire une toilette très sommaire.

D. Donner de l'argent.

55. DEVINEZ
SE TOUCHER LES CINQ SARDINES
Se serrer la main ▶ FRANCE, PROVENCE

Référence aux cinq doigts d'une main, la forme des doigts évoquant celle des sardines.

56. DEVINEZ
MANGER SES BAS
Être désespéré, au bout du rouleau ▶ QUÉBEC

Lorsqu'on est en situation de stress, d'échec ou financièrement exsangue, on en arrive à manger ses bas, seul accessoire que l'on sacrifie pour se nourrir.

57. QUIZ
MOUILLER LA BARBE
Soudoyer, notamment en payant à boire
▶ RÉPUBLIQUE DU CONGO

La personne acceptant d'être soudoyée, en se faisant offrir un verre, mouille sa barbe. « Mouiller » rappelle aussi que tout acte de corruption s'opère en versant de l'argent « liquide ».

➜ Il existe de nombreuses autres expressions avoisinantes : verser un pot-de-vin, arroser une personne. D'ailleurs, n'est-on pas « mouillé » dans une affaire ?

58. QUIZ

S'il insiste, **sa bouche va finir par le tuer**.
Cela désigne :

A. Un amateur de piment.

B. Quelqu'un qui parle trop.

C. Quelqu'un qui parle trop fort.

D. Une personne avare de mots.

59. DEVINEZ

Sonia **est** restée **paf** !

Indice 1 : Quand je lui ai déclaré ma flamme, elle avait les yeux grands ouverts.

Indice 2 : Elle ne s'y attendait pas.

60. DEVINEZ

Selma adore **mettre le cheni**.

Indice 1 : Sa mère est en colère quand elle rentre dans sa chambre.

Indice 2 : Devant ces montagnes de jouets et de vêtements.

58. QUIZ
SA BOUCHE VA FINIR PAR LE TUER.
Quelqu'un qui parle trop ▶ RÉPUBLIQUE DU CONGO

À trop en dire, on peut finir par payer le prix fort. C'est ce qu'on appelle aussi « avoir la langue bien pendue ». Attention, même en ayant le sens de la répartie, il faut savoir « tenir sa langue ».

59. DEVINEZ
ÊTRE PAF
Rester bouche bée ▶ BELGIQUE

Dérive du verbe *paffer* qui signifie, à la fin du XVIIIe siècle, « enivrer ». Le *paf* était à cette époque un terme générique pour désigner une boisson alcoolisée. En d'autres termes, reprenez un coup de pif et vous serez paf !

60. DEVINEZ
METTRE LE CHENI
Mettre le désordre ▶ SUISSE

Viendrait du français « chenil », lui-même dérivé du latin *canile* (la niche) qui avait au XVIIe siècle le sens de « logement sale ».
Quel foutoir, nom d'un... chien !

....
61. DEVINEZ

Oh, là, là ! C'est **passé par le trou du dimanche** !

Indice 1 : Soit Marcel a manqué de concentration.
Indice 2 : Soit il a bu trop vite.

....
62. DEVINEZ

Il fait une de ces **cramines**.

Indice 1 : Ne sors pas sans te protéger !
Indice 2 : Tu devrais mettre des moufles et un bonnet.

....
63. QUIZ

Le terme **menterie** est employé pour décrire :

A. Un mensonge.

B. Une culture de menthe fraîche.

C. Un discours politique.

D. Une vérité pas bonne à dire.

61. DEVINEZ
PASSER PAR LE TROU DU DIMANCHE
Avaler de travers, faire une fausse route
► BELGIQUE

Le «trou du dimanche» désigne la trachée-artère. L'expression devient parfois le «trou aux prières». Ne faut-il pas dès lors voir un lien entre le dimanche et le jour du Seigneur? Les voies digestives du Seigneur sont impénétrables...

62. DEVINEZ
CRAMINE
Très froid ► SUISSE

Vient du latin *cremare* qui signifie «brûler». Lorsque le froid est très intense, il procure une sensation de brûlure. Ne parle-t-on pas des morsures du froid et non de la froidure du morse?

63. QUIZ
UNE MENTERIE
Un mensonge ► QUÉBEC

Terme utilisé depuis le XVIIe siècle, issu du latin *mentiri* qui a donné, entre autres, le mot «menteur». Nous vous jurons avoir dit la vérité, rien que la vérité!

64. DEVINEZ

Je donne un bon coup de **panosse**...
Indice 1 : ... alors, ne mettez pas les pieds dans ma cuisine.
Indice 2 : Mon carrelage doit être impeccable.

65. DEVINEZ

J'ai pris grand plaisir à **faroter**.
Indice 1 : En même temps, il y avait quelque chose de grand à fêter !
Indice 2 : Ce n'est pas tous les jours qu'on peut être fier d'avoir eu son bac.

66. QUIZ

Quand Lucas n'allait pas bien,
il fréquentait **une chapelle**, c'est-à-dire :

A. Un centre de désintoxication.

B. Un bistrot.

C. Un club de rencontres.

D. Un cabinet de psychanalyse.

64. DEVINEZ
UNE PANOSSE
Une serpillière ▶ SUISSE

Vient du latin *pannucia*, qui signifie « haillon », « guenille », « morceau d'étoffe ».
➜ Cela a donné en France le pan (de tissu).

65. DEVINEZ
FAROTER
Frimer ▶ CÔTE D'IVOIRE

Verbe qui vient du *faro*, une boisson alcoolisée, sorte de bière fabriquée essentiellement dans la région de Bruxelles. Par extension, *faroter* en boîte de nuit, c'est faire le beau en payant un maximum de tournées. En métropole, le terme « arroser » est un bon équivalent.

66. QUIZ
UNE CHAPELLE
Un bistrot ▶ BELGIQUE

On dit aller de chapelle en chapelle, comme un acte de dévotion à Bacchus ! C'est ce qui « chapelle » rentrer tous les soirs saoul.
➜ « Faire chapelle » désigne aussi dans le nord de la France, au moment du carnaval, le fait d'aller boire des verres chez les voisins.

....
67. DEVINEZ

Ne reste pas dans ton coin,
tire-toi une bûche !
Indice 1 : Et viens nous rejoindre à table.
Indice 2 : Tu ne vas tout de même rester debout !

....
68. DEVINEZ

On vous offre **une verrée**.
Indice 1 : Quelle jolie victoire !
Indice 2 : Il faut fêter ça !

....
69. QUIZ

On parle d'**enfant de la retraite**
pour désigner :

A. Un enfant gardé par ses grands-parents.

B. Une vieille poupée retrouvée dans un grenier.

C. Un enfant amorphe, fatigué comme un vieillard.

D. Un enfant né de parents âgés.

67. DEVINEZ
SE TIRER UNE BÛCHE
Prendre une chaise, s'asseoir ▶ QUÉBEC

Vient du temps de l'installation des premiers colons au Québec (Nouvelle-France, colonie installée de 1534 à 1763). Les conditions de vie étaient rudes et modestes et les bûches – billots de bois – faisaient office de chaises.

68. DEVINEZ
UNE VERRÉE
Une tournée apéritive ▶ SUISSE

Expression formée à partir du nom « verre » : offrir des verres, c'est offrir *une verrée*. Allez-y, c'est notre tournée !

69. QUIZ
ENFANT DE LA RETRAITE
Enfant né de parents âgés ▶ CAMEROUN

Déjà que les enfants appellent souvent leurs parents « les vieux », alors on n'ose imaginer le sobriquet qu'ils donnent à leurs parents plus âgés !

70. QUIZ

Un long crayon a la réputation d'être :

A. Quelqu'un qui a fait de longues études.

B. Un architecte aguerri.

C. Une personne influente.

D. Un arbre immense.

71. QUIZ

Si une personne vous dit qu'elle est en train de **monter les tours**, c'est qu'elle :

A. Bâtit une maison.

B. Apporte des flûtes de champagne.

C. Commence à s'énerver.

D. Se met à un travail fastidieux.

72. DEVINEZ

Je n'aime pas quand il fait **douf**.

Indice 1 : On a l'impression d'étouffer.

Indice 2 : On se sent un peu comme dans un hammam.

70. QUIZ
UN LONG CRAYON
Quelqu'un qui a fait de longues études
▶ CAMEROUN

Désigne ces intellectuels bardés de diplômes ayant passé de looooongues années sur les bancs de la faculté, un crayon dans la main. Comme disait Toulouse-Lautrec, « les crayons, c'est pas du bois et de la mine, c'est de la pensée par les phalanges ».

71. QUIZ
MONTER LES TOURS
S'énerver ▶ SUISSE

Fait référence aux tours-minute d'un moteur de voiture, évoquant l'emballement de ce dernier. En France, on dira plus souvent « s'enflammer » ou « s'emballer », mais aussi « monter dans les tours » dans un registre familier.
Dans tous les cas, attention, ça chauffe !

72. DEVINEZ
DOUF
Lourd et chaud ▶ BELGIQUE

Viendrait du *doef* flamand (se prononce *douf*) et signifie « étouffant ».
Il fait rarement *douf* en Belgique, l'été comme l'hiver !

....
73. DEVINEZ

Alex, as-tu pensé à prendre
l'ivressomètre ?
Indice 1 : Tu sais bien qu'une longue nuit nous attend.
Indice 2 : Et qui pourra nous ramener en voiture ?

....
74. DEVINEZ

Je cherche **une** bonne **berceuse**
pour mes trois enfants.
Indice 1 : J'ai besoin d'aide.
Indice 2 : Je reprends le travail bientôt.

....
75. QUIZ

Quand on demande aux enfants d'éviter
les gouilles, on leur dit d'éviter les :

A. Flaques d'eau.
C. Fientes d'oiseaux.
B. Bagarres.
D. Mauvaises influences.

73. DEVINEZ
L'IVRESSOMÈTRE
L'éthylotest, l'alcootest ▶ QUÉBEC

L'expression est très parlante : quoi de plus logique qu'un *ivressomètre* pour mesurer le taux d'ivresse ?

74. DEVINEZ
UNE BERCEUSE
Une nounou ▶ AFRIQUE (TRÈS RÉPANDU)

Vient du rôle premier des nourrices, qui est de bercer les bébés.

75. QUIZ
LES GOUILLES
Les flaques d'eau stagnante ▶ SUISSE

Viendrait du patois *goile*, *goille*, *goillâ*, qui signifie « trou dans un ruisseau », lui-même dérivé du latin médiéval *gollia*, qui désigne le « trou », l'« étang ».

....
76. QUIZ

Si l'on vous traite d'**avale-royaume**,
il s'agit d'un :

A. Goinfre.

C. Obèse.

B. Ambitieux.

D. Anarchiste.

....
77. QUIZ

Si Marcel a **attrapé un gros cou**,
c'est qu'il :

A. A fait un œdème de Quincke.

C. A beaucoup grossi.

D. A beaucoup changé.

B. Est devenu prétentieux.

....
78. DEVINEZ

Je ne l'accepte plus, c'est **un dribbleur**.

Indice 1 : Il n'a jamais un sou en poche.

Indice 2 : Il demande toujours à ce qu'on lui fasse crédit.

76. QUIZ
AVALE-ROYAUME
Goinfre, appétit insatiable ▶ SUISSE

Ce monsieur a un tel appétit qu'il pourrait engloutir le royaume tout entier !

77. QUIZ
ATTRAPER UN GROS COU
Devenir prétentieux ▶ BELGIQUE

Image d'une partie du corps – ici le cou –, qui se gonfle d'orgueil.
➡ En France, on dit de manière analogue : « avoir la grosse tête », « avoir les chevilles qui enflent ». Elle est gonflée cette expression !

78. DEVINEZ
UN DRIBBLEUR
Personne endettée, client ayant des ardoises ici et là ▶ RÉPUBLIQUE DÉMOCRATIQUE DU CONGO

Locution footballistique par excellence. Celui qui parvient à vivre à crédit, sans jamais se faire « intercepter » est, de fait, un excellent dribbleur, mais un coéquipier peu recommandable.

79. DEVINEZ

Il a l'air bon, **ton pistolet**, il y a quoi dedans ?

Indice 1 : Tu veux bien partager ?

Indice 2 : Dans le mien, il n'y a que du jambon et du fromage.

80. QUIZ

Si un individu est **pissou**, c'est qu'il :

A. Est assoupi.

B. Est ruiné.

C. A la vessie pleine.

D. Est peureux.

81. DEVINEZ

C'est l'heure d'**aller aux oranges**.

Indice 1 : L'arbitre vient de siffler.

Indice 2 : On a quinze minutes pour se détendre et se reconcentrer.

Solutions

79. DEVINEZ
UN PISTOLET
Un sandwich ▶ BELGIQUE

Viendrait du latin *pistor* (le meunier, ancêtre du boulanger).
Autre explication : à Bruxelles au XVIIᵉ siècle, un petit pain valait une pistole.

80. QUIZ
PISSOU
Peureux ▶ QUÉBEC

Sobriquet populaire, terme d'injure, connu en québécois depuis la fin du XVIIIᵉ siècle. Les Canadiens anglais traitaient de la sorte les Canadiens français réputés pour manger de la soupe aux pois (*pea soup* en anglais).
➡ En métropole, dans le langage populaire, *pissou* désigne un enfant qui « fait pipi au lit ».

81. DEVINEZ
ALLER AUX ORANGES
Rentrer aux vestiaires à la mi-temps d'un match ▶ SÉNÉGAL

Pendant un match de football, les joueurs reprennent souvent des forces à la mi-temps en mangeant des oranges pleines de vitamines.
➡ Les oranges sont épluchées par les joueurs remplaçants qui ont fini par être nommés « coupeurs d'oranges ». Question : est-ce que le roi Pelé pelait lui-même ses oranges ?

....

82. DEVINEZ

J'**ai eu les kiekebiche** dans le stade.
Indice 1 : C'était un si beau match !
Indice 2 : Ça me fait toujours ça quand retentit
l'hymne national.

....

83. QUIZ

Qu'appelle-t-on **un blessé de guerre** ?

A. Un survivant.   **C.** Un homme divorcé.
B. Un amant éconduit.   **D.** Un billet froissé.

....

84. DEVINEZ

Il a un vrai talent pour **cocagner**.
Indice 1 : Jamais je ne l'ai vu dans le besoin.
Indice 2 : Et pourtant, il n'a jamais travaillé.

82. DEVINEZ
AVOIR LES KIEKEBICHE
Avoir la chair de poule ▶ BELGIQUE

Vient sûrement du flamand *kieken*, qui signifie « poulet ».

83. QUIZ
UN BLESSÉ DE GUERRE
Un billet froissé ▶ RÉPUBLIQUE DÉMOCRATIQUE DU CONGO

Avec le temps, à force d'être utilisés, certains billets en circulation sont froissés, déchirés, voire rafistolés avec du scotch.

84. DEVINEZ
COCAGNER
Vivre aux crochets d'autrui ▶ FRANCE, ANTILLES

Vient du jeu traditionnel dit du mât de Cocagne, où l'on grimpe à un mât pour décrocher des cadeaux au sommet. Par association d'idées, on vit aux crochets d'autrui comme le joueur agrippé à un mât.

85. QUIZ

Quelqu'un qui évoque ses **slaches** usées fait référence :

A. Aux touches de son clavier.

B. À sa paire de gants.

C. À ses sandales.

D. Aux pneus de sa voiture.

86. DEVINEZ

À chaque fois, c'est pareil, je **tombe sans glisser** pour elle.

Indice 1 : Elle est tellement intelligente !

Indice 2 : Elle me fait tellement d'effet !

87. DEVINEZ

Il passe sa vie à **stouffer**.

Indice 1 : Il faut qu'il redescende sur terre.

Indice 2 : Car il n'impressionne personne avec son air condescendant.

——— Solutions ———

85. QUIZ
LES SLACHES
Les sandales ▶ BELGIQUE

Mot d'origine flamande.
➡ D'autres dénominations existent dans le monde de la francophonie : nu-pieds, tongs, savates ou claquettes dans la France d'outre-mer et gougounes au Québec !

86. DEVINEZ
TOMBER SANS GLISSER
Être en admiration ▶ CAMEROUN

Par analogie avec «tomber amoureux», ici, tomber en admiration. Idée d'une chute brutale, à laquelle on ne s'attend pas puisqu'elle n'est même pas précédée d'une glissade.

87. DEVINEZ
STOUFFER
Faire le fier, de l'esbroufe ▶ BELGIQUE

Dérivé du mot flamand *stoeffer*, qui désigne un vantard, un prétentieux. Pour une femme, se dit *stoefesse*.
➡ Généralement, celui qui fait « de son stouf » (variante de l'expression), c'est pas l'humilité qui l'étouffe !

68

88. QUIZ

Que désignent **les petites bombes** ?

A. Des cocktails très alcoolisés.

B. Des petits bus rapides.

C. Des jolies demoiselles.

D. Des sujets à sensation dans la presse.

89. DEVINEZ

Je déteste **chauffer dans la noirceur**.

Indice 1 : Cela m'oblige à rester vigilant.

Indice 2 : Je perds tous mes réflexes.

90. DEVINEZ

Heureusement que tu as **trouvé le bon Dieu endormi**.

Indice 1 : Tu as traversé sans regarder.

Indice 2 : La prochaine fois, ça ne se passera pas si bien.

88. QUIZ
LES PETITES BOMBES
Petits bus rapides ▶ FRANCE, GUADELOUPE

Vient de l'image des moteurs à explosion en surrégime et de pots d'échappement pétaradant pour respecter les horaires d'arrivée de la compagnie de bus. À leur passage, ces petites bombes ont tendance à vous chauffer... les oreilles !

89. DEVINEZ
CHAUFFER DANS LA NOIRCEUR
Conduire dans la nuit ▶ QUÉBEC

Chauffer, de la même famille que « chauffeur », qui était à l'origine celui qui entretenait les machines dans les trains à vapeur.

90. DEVINEZ
TROUVER LE BON DIEU ENDORMI
Avoir de la chance ▶ FRANCE, PROVENCE

Renvoie à une faute commise, n'ayant pas fait l'objet de sanction divine. En d'autres termes, ne pas être puni, passer entre les mailles du filet.

91. QUIZ

Que dit-on quand, au volant, on **casse les contours** ?

A. On roule à toute vitesse.

B. On emprunte une route parsemée de nids-de-poule.

C. On négocie un virage difficile.

D. On emprunte des raccourcis.

92. QUIZ

Un enfant **nivaquine** est un enfant :

A. Tout pâle.

B. Turbulent ou hyperactif.

C. Qui tombe souvent malade.

D. D'un naturel jovial.

93. QUIZ

Si on te fait la remarque :
« **Y en a pour toi** », on considère que :

A. Tu es un enfant gâté.

B. Tu as toujours beaucoup de chance.

C. Tu es bien entouré(e).

D. Tu es très élégant(e).

91. QUIZ
CASSER LES CONTOURS
Négocier un virage difficile ▶ FRANCE,
ÎLE DE LA RÉUNION

Casser au sens de «casser la perspective», d'éviter les détours, d'aller droit au but (en ligne droite) pour gagner du temps (équivalent de «couper un virage»).

92. QUIZ
ENFANT NIVAQUINE
Enfant turbulent ou hyperactif ▶ TCHAD

La nivaquine est un médicament antipaludéen réputé pour avoir des effets secondaires puissants sur l'organisme, notamment des troubles du comportement tels que l'agitation. Par extension, «l'enfant nivaquine» désigne l'enfant inépuisable... et épuisant pour ses parents.

93. QUIZ
Y EN A POUR TOI.
Quelle élégance ! ▶ FRANCE, NOUVELLE-CALÉDONIE

Une personne élégante attire tous les regards : «il n'y en a que pour elle».
➜ En Afrique francophone, on célèbre aussi l'élégance par un joli : «Tu es frais.»

94. DEVINEZ

À la voir **s'énerver les poils des jambes**, j'ai repris les choses en main.
Indice 1 : Je l'ai envoyée faire une petite pause...
Indice 2 : ... car ce travail doit être fait dans le calme.

95. DEVINEZ

Torche mieux, s'il te plaît !
Indice 1 : Je n'y vois rien.
Indice 2 : Vise en direction de la serrure, je te prie.

96. DEVINEZ

Jean-Baptiste **se mine le plot**.
Indice 1 : Il suffit de le voir faire les cent pas.
Indice 2 : En plus, il se ronge les ongles.

94. DEVINEZ
S'ÉNERVER LES POILS DES JAMBES
S'exciter, s'inquiéter ▶ QUÉBEC

Image de poils qui se hérissent en raison d'un mouvement de panique ou un état de stress aigu. C'est un peu notre chair de poule, la panique en plus, l'épilation en moins.

95. DEVINEZ
TORCHER
Éclairer avec une lampe torche ▶ BURKINA FASO

Verbe dérivé de la « lampe torche ». Expression efficace, qui permet de gagner des mots et du temps.

96. DEVINEZ
SE MINER LE PLOT
Se tracasser ▶ SUISSE

Le *plot* était anciennement le billot sur lequel le bourreau décapitait les condamnés. Est-ce à dire que le *plot* désigne ici la tête ? Cette explication est fort « plotsible ».

97. QUIZ

Un **kot** est :

A. Une chambre
d'étudiant.

B. Un manteau.

C. Un poulailler.

D. Un pistolet.

98. QUIZ

Qu'évoque-t-on par une **caisse à ignames** bien remplie ?

A. Un compte en banque.

B. Un caddie.

C. Un ventre.

D. Une boîte à outils.

99. DEVINEZ

Garde **ta bouche pour toi**.

Indice 1 : Ainsi, tu n'auras pas tous ces problèmes.

Indice 2 : Après tout, ce ne sont pas tes oignons.

97. QUIZ
UN KOT
Une chambre d'étudiant ▶ BELGIQUE

Vient du flamand *kot*, qui désigne généralement un endroit exigu, un petit abri ou une cabane. Par extension, *kot* désigne une chambre de bonne, louée à des étudiants. Il existe plusieurs autres significations : petit réduit, cagibi (un *kot* à balais) ou la cellule d'un commissariat.

➜ Termes dérivés : *koter* (habiter) ; *cokoteur* (colocataire).

98. QUIZ
UNE CAISSE À IGNAMES
Un ventre ▶ FRANCE, NOUVELLE-CALÉDONIE

L'*igname* est la pomme de terre locale de ces régions. Cet aliment très populaire finit, à force d'être consommé, par trouver sa résidence dans le ventre de tout un chacun.

99. DEVINEZ
GARDER SA BOUCHE POUR SOI
Ne pas parler à mauvais escient ▶ MALI

S'emploie le plus souvent pour signifier à quelqu'un de garder le silence. L'expression « tenir sa langue » est très similaire. Nous avons tourné notre langue sept fois dans notre bouche avant de vous livrer cette explication.

100. DEVINEZ

Il a beau être incompétent, ce type a de **la mordache**.

Indice 1 : Il sait trouver les mots justes.
Indice 2 : Il captive toujours son auditoire.

101. DEVINEZ

On a bien **guindaillé** !

Indice 1 : J'avais besoin de me changer les idées.
Indice 2 : J'ai tenu jusqu'au bout de la nuit.

102. QUIZ

Le verbe **motamoter** désigne le fait de :

A. Répéter mot à mot.
B. Parler très vite.
C. Bégayer.
D. Peser chaque mot avant de parler.

100. DEVINEZ
LA MORDACHE
La faconde ▶ SUISSE

En référence à l'expression « avoir du mordant », *la mordache* désigne celui ou celle qui excelle dans l'art oratoire.

101. DEVINEZ
GUINDAILLER
Faire la fête ▶ BELGIQUE

Vient du mot *guindaille*, une fête où la bière coule à flots (du néerlandais *goed* : bon et *ale* : bière), lui-même dérivé du mot *guidal*, qui désignait un verre à boire dans l'argot des bouchers au XIXᵉ siècle, *faire guidal* signifiant « trinquer ».

102. QUIZ
MOTAMOTER
Répéter mot à mot ▶ CAMEROUN

Il s'agit de désigner une personne qui récite un texte sans réfléchir. Lorsqu'un élève restitue quelque chose par cœur, sans donner le sentiment d'avoir compris ce qu'il dit, on le soupçonne de *motamoter*.

103. DEVINEZ

Je vais **demander la route**.

Indice 1 : J'ai du chemin à faire en vous quittant.

Indice 2 : Encore merci pour cet excellent repas !

104. QUIZ

Que signifie l'interjection **« oufti ! »** ?

A. Ben, ça alors !

B. T'es pas un peu fou !

C. J'ai trouvé !

D. Bravo !

105. QUIZ

Qu'est-ce qu'un(e) **blondiste** ?

A. Personne qui fume des cigarettes blondes.

B. Personne qui se teint les cheveux en blond.

C. Personne qui sort avec un(e) garçon/fille blond(e).

D. Personne qui est stupide/niaise.

103. DEVINEZ
DEMANDER LA ROUTE
Annoncer qu'on va prendre congé d'un hôte
▶ AFRIQUE (TRÈS RÉPANDU)

Jolie formule de politesse pour annoncer son départ.
On dit aussi : « Voulez-vous bien me donner la route ? »,
comme une permission demandée à son hôte de partir.

104. QUIZ
OUFTI !
Ben, ça alors ! ▶ BELGIQUE

Contraction de « ouf » et de « toi » en wallon.
Selon l'intonation que l'on met en la prononçant, cette
interjection prend différents sens. Elle peut indiquer
l'étonnement, l'admiration, la colère, la lassitude...

105. QUIZ
BLONDISTE
Personne qui fume des cigarettes blondes.
▶ ALGÉRIE

L'imagination de la francophonie est sans limites pour
inventer de nouvelles expressions farfelues donnant
parfois lieu à des explications fumeuses. *Blondiste* désigne en l'espèce une personne adepte des cigarettes
blondes. Un néologisme qui fait, paraît-il, un tabac dans
les rues d'Alger !

106. DEVINEZ

J'ai croisé **le kongosseur**.

Indice 1 : Je ne me suis pas confié à lui.

Indice 2 : Je sais pertinemment qu'il aurait tout
répété.

107. QUIZ

Ne soyez jamais loin d'**un dépanneur**,
cela vous rendra service en cas de besoin.
De quoi s'agit-il ?

A. D'une boîte de Viagra.

B. D'un garage.

C. D'une borne de
recharge mobile.

D. D'une épicerie de
quartier.

108. QUIZ

Quand, en Belgique, on vous invite à **dîner**,
vous arrivez chez votre hôte pour :

A. 9 heures.

B. 12 heures.

C. 16 heures.

D. 20 heures.

106. DEVINEZ
LE KONGOSSEUR
Celui qui alimente les rumeurs.
Péjorativement, le concierge ▶ CAMEROUN

Les *kongossas*, mot issu d'un dialecte du centre du Cameroun, désignent les commérages. C'est typiquement au *kongosseur* qu'il ne faut jamais confier ses petits secrets sous peine de voir tout le quartier au courant dans l'heure qui suit.

107. QUIZ
UN DÉPANNEUR
Une épicerie de quartier ▶ QUÉBEC

En cas de fringale un jour férié ou tard le soir, seul le dépanneur du coin de la rue viendra à votre rescousse.
➡ Avertissement aux Québécois qui chercheraient un dépanneur en France : vous vous verriez proposer une révision technique ou une réparation pour votre voiture.

108. QUIZ
LE DÎNER
12 heures ▶ BELGIQUE

Au pays des moules-frites, le matin on déjeune, le midi on dîne et le soir on soupe. Pour les Français, c'est le monde à l'Anvers !

109. DEVINEZ

Felix, c'est **ton pied mon pied**.

Indice 1 : Il me suit partout.
Indice 2 : J'aimerais qu'il me lâche un peu !

110. QUIZ

Si on vous dit que vous avez **les yeux dans la graisse de bines**, cela veut dire que :

A. Vous lorgnez sur le plat de haricots.

B. Vous avez le regard perçant.

C. Vous avez le regard perdu.

D. Vous louchez.

111. DEVINEZ

Nahia adore les **couques au beurre**.

Indice 1 : Surtout le dimanche matin.
Indice 2 : Quand c'est son père qui les rapporte avec une bonne baguette de pain bien chaude.

109. DEVINEZ
ÊTRE TON PIED MON PIED
Faire comme toi ▶ AFRIQUE (TRÈS RÉPANDU)

Lorsqu'on fait confiance à l'un de ses pairs, on met aveuglément ses pas dans les siens jusqu'à en devenir parfois pot de colle. Une comptine ne chante-t-elle pas « Je mets mon pied dans le pied de mon père » ?

110. QUIZ
LES YEUX DANS LA GRAISSE DE BINES
Le regard perdu, dans le vague ▶ QUÉBEC

Anglicisme. Viendrait de l'aspect visqueux des haricots blancs (*beans* en anglais) flottant dans leur graisse. Par extension, cette expression désigne une personne au regard dans le vide.

111. DEVINEZ
COUQUES AU BEURRE
Viennoiseries ▶ BELGIQUE

Couque est un mot wallon qui provient du néerlandais *koek* signifiant « gâteau ». Dans le nord de la France comme en Belgique, la *couque* désigne un pain d'épices au miel. Lorsqu'elle est au beurre comme ici, elle devient générique et englobe toutes les viennoiseries.

112. DEVINEZ

Quand j'ai vu son **ventre administratif**,
j'ai tout compris de sa situation sociale.

Indice 1 : Ce monsieur est un homme d'affaires qui a
réussi.

Indice 2 : Il devrait s'inscrire sans tarder à la salle de
sport.

113. DEVINEZ

Trop mignonne, cette **tortue bon Dieu**.

Indice 1 : Tu as vu ses petites taches régulières ?

Indice 2 : Je ferai un vœu quand elle s'envolera.

114. QUIZ

Ça **plèque** sérieusement !

A. Ça fait peur.   **C.** C'est tout collant.

B. Ça pue.   **D.** Il pleut à verse.

112. DEVINEZ
UN VENTRE ADMINISTRATIF
Un ventre rond, de l'embonpoint ▶ CAMEROUN

Caractéristique physique prêtée à toute personne ayant réussi dans les affaires. Cela s'applique désormais également aux fonctionnaires qui profiteraient de leur situation et d'un système qui les enrichit.

113. DEVINEZ
UNE TORTUE BON DIEU
Une coccinelle ▶ FRANCE, ÎLE DE LA RÉUNION

La tortue a une carapace bombée... comme la coccinelle ! « Bon Dieu » provient de l'appellation « bête à bon Dieu », qui rappelle que cet insecte porte bonheur.
➡ Cette expression vient d'une légende française. Un condamné à mort aurait été sauvé le jour de son exécution par une coccinelle qui se serait posée sur sa nuque. En effet, le roi Robert II (972-1031) y vit un signe divin et le gracia.

114. QUIZ
PLÉQUER
Coller ▶ BELGIQUE

Emprunt au flamand *plekken*, signifiant « coller ». Vous ne saviez pas ? On vous a collé alors...

....

115. DEVINEZ

Ces deux frères sont **comme lait et citron**.

Indice 1 : Je n'arrête pas de les séparer.
Indice 2 : Ils se disputent sans cesse.

....

116. QUIZ

Ça fait une secousse, cela veut dire que :

A. J'ai eu le coup de foudre.

B. La terre a tremblé.

C. C'est une surprise.

D. Ça fait longtemps.

....

117. DEVINEZ

Il a été **busé**.

Indice 1 : Normal, il avait séché les cours.
Indice 2 : Il devra suivre la session de rattrapage.

115. DEVINEZ
ÊTRE COMME LAIT ET CITRON
Ne pas se supporter ▶ HAÏTI

Deux aliments opposés pour les papilles (l'un est doux, quelque peu sirupeux, l'autre acide et vigoureux) et qui ne peuvent pas se mélanger, sinon le lait coagule.
➡ En France, l'équivalent serait « être comme chien et chat ».

116. QUIZ
ÇA FAIT UNE SECOUSSE.
Ça fait longtemps ▶ QUÉBEC

Expression qui traduit l'effet produit en retrouvant quelqu'un que l'on n'a pas vu depuis longtemps. S'applique par extension à de nombreuses situations : « ça fait une secousse que je n'ai pas mangé du chocolat, que je ne suis pas parti en vacances... ».

117. DEVINEZ
BUSÉ
Recalé à un examen ▶ BELGIQUE

Viendrait du latin *bucinum* (cor, trompette), d'où jouer d'un instrument, et donc s'amuser, perdre son temps. Ne soyez pas trop désa-busés.

118. QUIZ

Battre le meeting signifie :

A. Prendre congé de quelqu'un.

B. Raconter des mensonges.

C. Défendre avec force des convictions.

D. Parler trop fort.

119. QUIZ

Quand on **passe la renverse** en voiture, on :

A. Rétrograde.

B. S'assoit à l'arrière.

C. Passe la marche arrière.

D. Fait un tête-à-queue.

120. DEVINEZ

Fred nous a conduits **à pouf** !
Indice 1 : Finalement, on est arrivés à l'heure.
Indice 2 : Sacré coup de chance !

118. QUIZ
BATTRE LE MEETING
Raconter des mensonges ▶ RÉPUBLIQUE
DÉMOCRATIQUE DU CONGO

Les promesses énoncées lors d'un meeting de campagne électorale sont souvent des engagements impossibles à tenir. L'image n'est pas glorieuse pour nos hommes politiques.

119. QUIZ
PASSER LA RENVERSE
Passer la marche arrière ▶ QUÉBEC

Dérive de l'anglais *in reverse* qui signifie « en marche arrière ». Explication renversante !

120. DEVINEZ
À POUF
Au hasard ▶ BELGIQUE

Explication possible tirée d'une comptine qui sert à désigner quelqu'un au hasard (« pouf, pouf, ce sera toi qui gagneras »).

....
121. QUIZ

J'aime beaucoup ton **entrer-coucher**, cela désigne :

A. Un petit logement deux pièces.

B. Un établissement mal fréquenté.

C. Un chien de compagnie très calme.

D. Un sofa devant la télévision.

....
122. DEVINEZ

Il a **brouté le coaltar**.

Indice 1 : Nous nous sommes tout de suite inquiétés.
Indice 2 : Il s'est fait très mal au genou.

....
123. DEVINEZ

Elle devait commencer par sa toute dernière **turlute**.

Indice 1 : Mais je crains que le spectacle ne soit annulé.
Indice 2 : Elle aurait perdu sa voix.

121. QUIZ
UN ENTRER-COUCHER
Petit logement deux pièces ▶ CÔTE D'IVOIRE

Expression humoristique : deux pièces tellement petites qu'on peut seulement y mettre un lit. On entre, on se couche.

122. DEVINEZ
BROUTER LE COALTAR
Chuter ▶ FRANCE, NOUVELLE-CALÉDONIE

Le *coaltar* vient de l'anglais *coal* (charbon) et *tar* (goudron) et désigne le bitume. « Brouter le coaltar » sous-entend que, lorsqu'on tombe au sol, la seule chose à brouter, c'est le macadam.
➜ En France, on dit aussi « se manger une gamelle ».

123. DEVINEZ
UNE TURLUTE
Une chanson folklorique ▶ QUÉBEC

À l'origine, la *turlute* est le cri de l'alouette. Au Québec, ce terme désigne une forme de chant que l'on retrouve dans certaines musiques traditionnelles consistant à chanter de façon rythmique à partir d'onomatopées.
➜ L'expression doit beaucoup à la chanteuse Mary Rose Anna Travers et à sa chanson « J'ai un bouton su' l'bout d'la langue, qui m'empêche de turluter ».

124. DEVINEZ

Arrête de **donner des coups de pied à l'armoire**.

Indice 1 : Tu te crois à un défilé de mode ?
Indice 2 : On n'est pas dimanche.

125. QUIZ

Que signifie : «**tu es rare comme le caviar**»?

A. Il n'y en pas deux comme toi.

B. On ne te voit pas beaucoup.

C. Tu es trop snob.

D. Tu me coûtes cher.

126. DEVINEZ

Ton père **fait un esquandal** pas possible.

Indice 1 : Va lui dire que le petit dort à côté.
Indice 2 : Il va finir par le réveiller.

124. DEVINEZ

DONNER DES COUPS DE PIED À L'ARMOIRE
Mettre ses plus beaux vêtements ▶ FRANCE, PROVENCE

On imagine parfaitement un dandy passant des heures devant la glace de son armoire pour finir par enfiler sa tenue la plus élégante.

➔ On dit aussi « se mettre sur son 31 » ou « mettre ses habits du dimanche ».

125. QUIZ

RARE COMME LE CAVIAR
Personne que l'on voit peu ▶ CAMEROUN

Une personne se fait rare, comme le caviar, qui est un produit luxueux et difficilement accessible.

126. DEVINEZ

FAIRE UN ESQUANDAL
Faire beaucoup de bruit ▶ ÉTATS-UNIS, LOUISIANE

Expression cajun (francophone de Louisiane). Vient du nom *scandale* (du latin *scandalum*, pierre d'achoppement) qui, en général, va de pair avec un fort volume sonore. Ne le criez pas sur tous les toits, ça pourrait bien faire scandale !

127. DEVINEZ

Il est grand temps de **prendre le maquis**.
Indice 1 : Ton avenir est en jeu.
Indice 2 : Prépare-toi à des nuits blanches de travail.

128. QUIZ

C'était très salé, je l'ai mangé **en bout de dents** :

A. Sans appétit.
B. À belles dents.
C. À contrecœur.
D. En fin de repas.

129. DEVINEZ

Je ne trouve plus les clés dans ma **poche**.
Indice 1 : Dedans, c'est un peu sens dessus dessous.
Indice 2 : Mais j'ai toute ma vie dedans.

127. DEVINEZ
PRENDRE LE MAQUIS
Entamer une intense période de révision
▶ RÉPUBLIQUE DÉMOCRATIQUE DU CONGO

À l'origine, cette expression signifie partir en forêt pour échapper aux autorités et rejoindre la résistance. Ici, elle veut dire qu'il vaut mieux se retirer dans un lieu pour une retraite studieuse.

➔ On parle aussi de *caïmanter* ou de *faire caïman* en Côte d'Ivoire, et cela vient de ces reptiles qui sortent la nuit pour chercher leur nourriture et qui, de fait, ne dorment pas.

128. QUIZ
EN BOUT DE DENTS
À contrecœur ▶ ÉTATS-UNIS, LOUISIANE

Expression cajun, utilisée lorsqu'on goûte à un mets dont on ne raffole pas. Vous saisissez le rapport ? On ne va pas vous mâcher tout le travail !

129. DEVINEZ
UNE POCHE
Un sac à main ▶ LUXEMBOURG

Un sac à main n'a-t-il pas la fonction d'une poche mais en plus grand et plus volumineux ? Attention, un jour de soldes, munie d'une grande poche, une femme peut mettre à sac un magasin.

....
130. DEVINEZ

Avoir un pain au four

Indice 1 : C'est beaucoup de bonheur et de préparation.

Indice 2 : Neuf mois durant !

....
131. DEVINEZ

Rien de mieux qu'**un bonbon lafess'**, quand tu te sens fiévreux.

Indice 1 : D'autant plus que l'aspirine ne fait plus d'effet.

Indice 2 : Le tout est de ne pas le prendre devant les amis.

....
132. QUIZ

Si ce monsieur est **né face de cuillère**, cela veut dire qu'il est né :

A. Albinos.　　　　　　**C.** Dans la pauvreté.

B. Jumeau.　　　　　　**D.** Dans l'opulence.

130. DEVINEZ
AVOIR UN PAIN AU FOUR
Être enceinte ▶ QUÉBEC

Belle image qui se passe d'explications. C'est à croquer !

131. DEVINEZ
UN BONBON LAFESS'
Un suppositoire ▶ FRANCE, ÎLE DE LA RÉUNION

Expression particulièrement imagée : le suppositoire a toutes les apparences d'un bonbon !

132. QUIZ
NÉ FACE DE CUILLÈRE
Dans la pauvreté ▶ BURKINA FASO

L'exact contraire d'être « né avec une cuillère d'argent dans la bouche ». Idée d'une cuillère vide renvoyant un reflet déformé de soi.

....
133. DEVINEZ

Prenons le train 11 pour aller voir Sergio.

Indice 1 : Il n'habite qu'à quelques rues d'ici.
Indice 2 : Ça marche ?

....
134. DEVINEZ

Linda est sympa mais attention,
c'est une **gazeuse**.

Indice 1 : Moi, je ne pourrai pas la suivre.
Indice 2 : Elle passe toutes ses soirées en boîte de
nuit !

....
135. QUIZ

Une endormitoire, c'est :

A. Un besoin de dormir.
B. Un discours
soporifique.

C. Une histoire racontée
aux enfants avant de se
coucher.
D. Un dortoir dans un
couvent.

133. DEVINEZ
PRENDRE LE TRAIN 11
Aller/venir à pied ▶ AFRIQUE (TRÈS RÉPANDU)

Tournure argotique française qui remonte au XIXe siècle, alors que le train était le moyen de locomotion le plus répandu. Le «11» fait référence, avec ses deux barres, aux deux jambes du marcheur.

▶ Au Maghreb, un randonneur vous dira avec ironie qu'il ne roule jamais sans sa Renault 11.

134. DEVINEZ
GAZEUSE
Fêtarde ▶ CÔTE D'IVOIRE

Expression qui fait référence au gaz en tant que source d'énergie. Il faut avoir le carburant pour sortir jusqu'au bout de la nuit. Et pour vous, ça carbure?

135. QUIZ
UNE ENDORMITOIRE
Un besoin de dormir ▶ QUÉBEC

Terme qui désigne à la fois un somnifère et un besoin vital de dorm... zzzzzzzzzzzz!

136. QUIZ

Que désigne **un chien chaud** ?

A. Un jeune homme entreprenant.

B. Un chien excité.

C. Un hot dog.

D. Un match de hockey très disputé.

137. DEVINEZ

Moi, je dis : « **Bon pied la route !** »

Indice 1 : Courir le 100 mètres en moins de 10 secondes...

Indice 2 : Tu as intérêt à t'entraîner !

138. QUIZ

Quand quelqu'un vous dit « **j'ai mon fond** », cela signifie :

A. Qu'il a pied dans l'eau.

B. Qu'il est déprimé.

C. Qu'il est repu.

D. Qu'il a ouvert un commerce.

136. QUIZ
UN CHIEN CHAUD
Un hot dog ▶ QUÉBEC

Traduction littérale, francisation du terme anglais *hot dog*.

Le terme *dog* est utilisé en anglais comme synonyme de « saucisse » depuis 1886. Il est vrai qu'un corps de teckel ressemble assez à une saucisse...

137. DEVINEZ
BON PIED LA ROUTE
Bon courage ! ▶ CAMEROUN

Il faut de bons pieds pour s'attaquer à une course intense ou à une route pénible. Cette formule s'applique souvent à des tâches réputées difficiles.

En France, on dit par exemple que ça va « être coton ».

138. QUIZ
AVOIR SON FOND
Avoir pied ▶ SUISSE

En France, on « a pied » lorsqu'on a la tête hors de l'eau, alors qu'en Suisse, dans la même situation, on dit qu'on « a son fond ». Esprit de contradiction ?

➜ Attention ! Dans ces deux pays, quand on « touche le fond », c'est que ça ne va plus du tout. Ainsi font, font, font les petites expressions...

....
139. DEVINEZ

Mon mari est **moisi**.
Indice 1 : Cela crée des tensions à la maison.
Indice 2 : Il faut qu'il se remette à gagner sa vie.

....
140. DEVINEZ

Peux-tu **souffler le tir de mon char**, stp ?
Indice 1 : Je ne sais pas le faire.
Indice 2 : Dans le coffre, j'ai un cric.

....
141. QUIZ

Quand on **vire son pantalon**, que fait-on ?

A. On se met en slip.
B. On met un pyjama.
C. On abandonne.
D. On change d'opinion.

139. DEVINEZ
ÊTRE MOISI
Être criblé de dettes ▶ CÔTE D'IVOIRE

«Ça sent le roussi» ou «c'est pourri» s'emploient à propos de quelqu'un qui est criblé de dettes comme un aliment couvert de moisissures...

140. DEVINEZ
SOUFFLER LE TIR DE SON CHAR
Gonfler le pneu de sa voiture ▶ QUÉBEC

Tir vient de l'anglais *tire*, qui signifie «pneu». *Char* désigne, en québécois, une «voiture». *Souffler* décrit l'action de l'air pénétrant dans le pneu. Entre nous, voilà une activité à finir complètement essoufflé !

141. QUIZ
VIRER SON PANTALON
Changer opportunément d'opinion ▶ FRANCE, ÎLE DE LA RÉUNION

Transposition de l'expression de métropole «retourner sa veste», que Jacques Dutronc a immortalisée dans sa chanson *L'Opportuniste*.

Questions

142. QUIZ

Je m'en souviendrai ! Il m'a donné
une bonne main :

A. Une poignée de main
ferme et amicale.

B. Un coup de main
appréciable.

C. Un pourboire.

D. Une énorme claque.

143. DEVINEZ

J'ai vu **le tap-tap** arriver.

Indice 1 : J'ai su que je ne le prendrai pas.

Indice 2 : Il était bondé et ses amortisseurs avaient
rendu l'âme.

144. DEVINEZ

On **se pince** un peu plus tard ?

Indice 1 : À 19 heures précises, par exemple.

Indice 2 : Devant la gare.

Solutions

142. QUIZ
UNE BONNE MAIN
Un pourboire ▶ SUISSE

On imagine très bien la scène : le client satisfait, qui tend un billet ou une pièce au serveur, d'où l'image de la main généreuse. Une bonne main au poker peut néanmoins rapporter bien plus !

143. DEVINEZ
LE TAP-TAP
Le taxi collectif ▶ HAÏTI

Il s'agit de minibus qui parcourent de longues distances sur des routes cahoteuses. Le terme viendrait de l'expression « tape-cul » en référence aux soubresauts de la machine sur des chemins en mauvais état et de leurs effets sur les postérieurs des occupants.

➔ Ailleurs, en Afrique, on appelle cela un « taxi-brousse ».

144. DEVINEZ
SE PINCER
Se rencontrer ▶ BURKINA FASO

Dérive de la locution « se serrer la pince », qui désigne en argot une poignée de main (la pince faisant référence aux pinces de crabe). Ici, le rendez-vous est assimilé à « un serrement de pinces » planifié.

145. DEVINEZ

Tu centres pour où ?
Indice 1 : En ville ?
Indice 2 : Faire des courses ? Au boulot ?

146. QUIZ

Elle est sympa, mais **façon-façon**.

A. Elle est bizarre.
B. Elle est élégante.
C. Elle est maniérée.
D. Elle est trop coincée.

147. DEVINEZ

Arrête de **parler à travers ton chapeau** !
Indice 1 : On ne t'écoute même plus.
Indice 2 : Tu nous fais perdre notre temps.

145. DEVINEZ
TU CENTRES POUR OÙ ?
Où vas-tu ? ▶ CAMEROUN

Traduction littérale de nombreux dialectes qui évoquent le « dégagement d'un ballon » et la direction prise par ce dernier. Cette expression montre la place prépondérante qu'occupe le football dans l'imaginaire collectif local. L'essentiel est d'avoir toujours un but dans la vie.

146. QUIZ
FAÇON-FAÇON
Bizarre ▶ CÔTE D'IVOIRE

L'excès de façons évoque un comportement étrange, des attitudes étonnantes... Cela concerne une personne qu'on a du mal à cerner.

▶ En France, « faire des façons » signifie un manque de naturel.

147. DEVINEZ
PARLER À TRAVERS SON CHAPEAU
Parler à tort et à travers, s'écouter parler
▶ QUÉBEC

Calquée sur l'anglais *to speak through one's hat*. Pour certains, cette formulation fait référence aux parlementaires anglais qui avaient l'habitude de porter un chapeau dans l'assemblée et de prononcer des discours lénifiants de façon à peine audible, comme en se couvrant la bouche de leur chapeau.

148. DEVINEZ

Je déteste les **tablettes de chocolat**.
Indice 1 : Surtout après la saison des pluies.
Indice 2 : Le trajet devient alors très inconfortable.

149. QUIZ

Quand on **prend son pied la route** :

A. On adore voyager.
B. On fait du stop.
C. On marche à pied.

D. On met des chaussures pour ne pas se blesser.

150. DEVINEZ

Regarde-moi ce beau **cache-papaye** !
Indice 1 : Il est élégant et sexy.
Indice 2 : J'aime ces dessous soyeux.

148. DEVINEZ
LES TABLETTES DE CHOCOLAT
Les routes en mauvais état ▶ SÉNÉGAL

La route abîmée, parsemée d'ornières à intervalles réguliers, a l'apparence de tablettes de chocolat dont les carrés sont séparés par des rigoles permettant à l'eau de circuler.

149. QUIZ
PRENDRE SON PIED LA ROUTE
Marcher ▶ CÔTE D'IVOIRE

L'expression illustre le fait se mettre en route avec le moyen de locomotion le plus naturel.

150. DEVINEZ
CACHE-PAPAYE
Soutien-gorge ▶ FRANCE, NOUVELLE-CALÉDONIE

Charmante formule qui rappelle que la fonction de ce sous-vêtement n'est pas tant de soutenir la gorge que de cacher ces papayes que nous ne saurions voir.

151. DEVINEZ

Toute ma jeunesse, j'ai **voyagé en occasion**.

Indice 1 : C'était pratique et pas cher.

Indice 2 : J'ai arrêté quand j'ai eu ma première voiture.

152. QUIZ

Si vous voulez vivre des sensations extrêmes, **prendre l'Apollo**, c'est...

A. Aller en boîte de nuit.

B. Prendre un apéro qui fait décoller.

C. Effectuer un saut de liane.

D. Voyager sur le toit d'un bus bondé.

153. DEVINEZ

Il faut que tu arrêtes de **pelleter des nuages**.

Indice 1 : C'est bien d'avoir des idées, mais cela ne suffit pas.

Indice 2 : Tu dois les traduire en actions concrètes.

151. DEVINEZ
VOYAGER EN OCCASION
Faire du stop ▶ NIGER

Exprime un moyen de voyager à moindre coût.

152. QUIZ
PRENDRE L'APOLLO
Voyager sur le toit d'un bus bondé ▶ RWANDA

Référence à Apollo 11, la mission du programme spatial américain, au cours de laquelle des hommes se sont posés sur la Lune. De fait, être suspendu sur le toit d'un autobus roulant à toute allure sur les routes sinueuses et abîmées procurerait une sensation d'apesanteur !

153. DEVINEZ
PELLETER DES NUAGES
Rêvasser, manquer de sens concret ▶ QUÉBEC

Au Québec, l'hiver, déneiger à coups de pelle est une tâche quotidienne. Mais tandis que l'homme concret pellette la neige, l'homme rêveur pellette les nuages.
➜ En France, cette image se retrouve par exemple dans l'expression « avoir la tête dans les nuages ». Rien de tel pour rêvasser !

154. DEVINEZ

Jeannot a **caché marote**.

Indice 1 : Il risque d'être sévèrement puni...

Indice 2 : Sa maîtresse va certainement informer ses parents de son absence.

155. DEVINEZ

Je n'ose pas le déranger en ce moment, il **a les bleus**.

Indice 1 : Je ne connais pas la cause de son état.

Indice 2 : Mais j'ai confiance, il va s'en remettre.

156. QUIZ

Que désigne **la famille manche longue** ?

A. Une famille élargie.

B. Une famille influente.

C. Une famille éclatée.

D. Une famille très soudée.

154. DEVINEZ
CACHER MAROTE
Faire l'école buissonnière ▶ FRANCE, HAUTS-DE-FRANCE

Marote viendrait du terme « maraude » qui est un vol de fruits et légumes sur les arbres. Les écoliers faisaient souvent l'école buissonnière pour se promener dans les bois et s'adonner à la cueillette des fruits.

➡ La francophonie ne manque pas d'imagination pour désigner d'autres façons de _cacher marote_ : on _sèche_ en France, on _bâche_ à la Réunion, on _brosse_ en Belgique, on _fait bleu_ en Alsace, on _courbe_ en Suisse et on _skippe_ au Québec.

155. DEVINEZ
AVOIR LES BLEUS
Avoir le cafard ▶ QUÉBEC

Vient de l'anglais _to have the blues_, qui signifie « être triste », « avoir le mal de vivre ».

➡ Rien de tel qu'un bon vieux blues pour se remonter le moral !

156. QUIZ
UNE FAMILLE MANCHE LONGUE
Une famille influente ▶ AFRIQUE (TRÈS RÉPANDU)

Rappelle l'expression de la France métropolitaine : « avoir le bras long ». Plus le bras est long, plus la manche doit être taillée en conséquence. Le genre de famille qu'on voit rarement faire la manche !

157. DEVINEZ

Tenez ça mort.
Indice 1 : Je vous fais confiance.
Indice 2 : C'est confidentiel.

158. DEVINEZ

Cet élève est **un cartouchard**.
Indice 1 : Pourtant, je lui en ai donné, des cours
particuliers.
Indice 2 : C'est la troisième fois qu'il échoue au bac.

159. QUIZ

On évoque souvent **des yeux de merlan frit** pour désigner :

A. Un observateur avisé.
B. Un regard un peu niais.
C. Un regard méchant.
D. Un strabisme prononcé.

157. DEVINEZ
TENEZ ÇA MORT.
Gardez cela pour vous ▶ QUÉBEC

Désigne une information devant rester secrète au point d'être aussi enterrée qu'un mort. Dans certaines situations, ne pas « tenir ça mort » peut vous coûter la vie.

158. DEVINEZ
CARTOUCHARD
Redoublant ▶ SÉNÉGAL

Désigne un étudiant passant un examen sans chance de pouvoir le repasser en cas d'échec, comme s'il avait déjà utilisé toutes ses cartouches. Il a dû en consommer, des cartouches d'encre, pendant son cursus !

159. QUIZ
DES YEUX DE MERLAN FRIT
Un regard niais ▶ FRANCE

C'est avec l'arrivée du cinéma muet, au début du XXᵉ siècle, que cette formule imagée a pris tout son sens pour désigner les mimiques exagérées d'acteurs lorsqu'ils se lançaient des regards tendrement amoureux. L'expression a par la suite évolué pour moquer des regards un peu vides et niais.

➡ Au XVIIIᵉ siècle, on disait aussi « faire des yeux de carpe frite ».

160. QUIZ

Il est recommandé de bien choisir
son **nettoyeur**, de quoi s'agit-il ?

A. Un tueur à gages.　　C. Un laveur de carreaux.
B. Un teinturier.　　D. Un débouche-éviers.

161. DEVINEZ

Je l'ai vu **faire le couloir**.
Indice 1 : Finalement, il a été recruté.
Indice 2 : Il pourra dire merci à son beau-père.

162. DEVINEZ

Ce n'est pas la peine de **faire la meule**.
Indice 1 : Je ne t'achèterai pas de bonbons.
Indice 2 : C'est mon dernier mot !

160. QUIZ
UN NETTOYEUR
Un teinturier ▶ QUÉBEC

Exigeants quant à l'utilisation de la langue française, les Québécois n'utilisent pas l'anglicisme « pressing ».

161. DEVINEZ
FAIRE LE COULOIR
Être pistonné ▶ MALI

Expression née de l'observation des personnes faisant la queue dans les couloirs des administrations pour obtenir une aide ou débloquer une situation, grâce à une intervention tout sauf divine.

➜ Faire du lobbying, le lobby désignant en anglais un hall d'entrée, un vestibule.

162. DEVINEZ
FAIRE LA MEULE
Harceler ▶ SUISSE

Locution qui désigne le fait d'obtenir quelque chose de quelqu'un à l'usure. Fait probablement référence à l'action de la meule, qui moud le grain, comme on moud une personne lorsqu'on insiste trop pour avoir ce que l'on veut.

163. QUIZ

Que désigne **une bombe** qui fait monter
la température ?

A. Un thermomètre. **C.** Une bouilloire.
B. Une femme aux formes **D.** Un briquet.
avantageuses.

164. QUIZ

La route pour venir chez toi est **caillou**,
cela signifie qu'elle est :

A. En terre (pas **C.** Rocailleuse.
goudronnée). **D.** Mal éclairée.
B. Difficile et parsemée
d'embûches.

165. DEVINEZ

Je n'aime pas quand tatie Ursula me
donne **un bec**.
Indice 1 : Elle m'étouffe avec ses bras.
Indice 2 : En plus, ça m'irrite car elle ne se rase
jamais.

163. QUIZ
UNE BOMBE
Une bouilloire ▶ QUÉBEC

Viendrait de l'analogie entre la bombe à retardement et le minuteur d'une bouilloire déclenchant une alerte pour indiquer que l'eau est bouillante.

164. QUIZ
CAILLOU
Difficile ▶ CÔTE D'IVOIRE

Vient de l'image d'une route caillouteuse qui semble difficile à traverser. Dans un sens figuré, autre façon de dire que la vie n'est pas un long fleuve tranquille. Une confidence pour le lecteur : le choix final des expressions retenues pour le présent ouvrage a parfois été «caillou» à arrêter.

165. DEVINEZ
UN BEC
Une bise ▶ SUISSE

«Faire un bec» ou «donner un bec» fait référence au petit mouvement de tête de l'oiseau pour picorer, comme on donne un petit bisou rapide.

➜ Nombre d'expressions comparent la bouche de l'homme à la gueule ou au bec d'un animal (ouvrir sa gueule, avoir une prise de bec ou se retrouver le bec dans l'eau...).

166. QUIZ

Si l'on vous traite de **pichou**,
c'est que vous êtes...

A. Un radin.

B. Un ivrogne.

C. Un laideron.

D. Une personne charmante.

167. DEVINEZ

Je suis **déçu en bien**.

Indice 1 : Mon patron m'a augmenté.

Indice 2 : Franchement, je ne m'y attendais pas.

168. DEVINEZ

Je pense que ma mère va me **chicoter**.

Indice 1 : Ses yeux lancent des éclairs.

Indice 2 : J'ai dû faire une bêtise, ça va claquer !

166. QUIZ
PICHOU
Laideron ▶ QUÉBEC

Les Canadiens auraient baptisé les mocassins leur permettant de se déplacer dans la neige *pichous* en raison de la ressemblance des traces qu'ils laissaient avec les empreintes de pas de lynx (*pixu* en amérindien). Ces «raquettes» étaient souvent cousues de façon grossière, leur donnant une apparence lourde et peu esthétique, d'où la connotation négative.

167. DEVINEZ
DÉÇU EN BIEN
Agréablement surpris ▶ SUISSE

Réaction favorable après un *a priori* négatif. En France, on dit d'un spectacle, d'un plat ou d'un film : « Je m'attendais à détester, mais c'est une bonne surprise. » Les Suisses ont eu l'à-propos de résumer cette situation en très peu de mots.

168. DEVINEZ
CHICOTER
Donner la fessée ▶ AFRIQUE (TRÈS RÉPANDU)

Vient du portugais *chicote* qui signifie «fouet». En Afrique francophone, le verbe a fini par désigner toute punition corporelle.

169. DEVINEZ

Inutile de passer à **l'essencerie**.
Indice 1 : On y va en vélo.
Indice 2 : Ça ne pollue pas !

170. DEVINEZ

C'est toujours maman qui **souffle la lumière**.
Indice 1 : Tous les soirs, à 21 heures.
Indice 2 : C'est le signal pour m'endormir.

171. QUIZ

Lorsqu'un quidam vous interpelle en vous demandant **le midi**, c'est qu'il vous demande :

A. L'heure.
B. Un peu d'argent pour se nourrir.
C. Son chemin.
D. Où se trouve le restaurant le plus proche.

169. DEVINEZ
L'ESSENCERIE
La station essence ▶ SÉNÉGAL

Expression « raffinée » qui désigne le lieu où l'on s'approvisionne en carburant. Ne dit-on pas « une épicerie » pour nommer le commerce où l'on vend des épices ?

170. DEVINEZ
SOUFFLER LA LUMIÈRE
Éteindre la lumière ▶ FRANCE, GRAND EST ET, PLUS PRÉCISÉMENT, MEURTHE-ET-MOSELLE

Provient évidemment de l'époque où l'on soufflait les bougies. Son usage ne s'est pas essoufflé dans le temps puisqu'elle illumine toujours les conversations dans l'est de la France.

171. QUIZ
LE MIDI
Un peu d'argent pour s'acheter à manger.
▶ CAMEROUN

Lorsque midi approche, l'estomac commence à faire grise mine et c'est l'heure d'acheter des victuailles pour déjeuner.
On dit de manière analogue « le quatre-heures » pour désigner le goûter des enfants. Mais « le 20 heures » est un faux ami : il désigne en France le journal télévisé, pas le dîner !

....

172. DEVINEZ

C'est la dernière fois que je te prends
à **faire bleu**.

Indice 1 : J'en ai parlé avec la directrice de l'école.
Indice 2 : Si ça se reproduit, je te mets en internat !

....

173. DEVINEZ

Ce brave type s'est fait **enfermer
dans un cadenas**.

Indice 1 : Depuis, il ne lui arrive que des malheurs.
Indice 2 : Il doit d'urgence consulter un marabout.

....

174. QUIZ

Il est grand temps que **je me réduise**
signifie :

A. Que je sois moins
bavard.

C. Que j'aille me coucher.

D. Que je perde du poids.

B. Que je me fasse tout
petit.

172. DEVINEZ
FAIRE BLEU
Sécher l'école ▶ FRANCE, GRAND EST

Traduction littérale d'une expression luxembourgeoise *bloo machen*, d'origine germanique.

Entre nous, ce n'est pas illogique : quoi de plus attirant qu'un grand ciel bleu pour faire l'école buissonnière ?

173. DEVINEZ
ENFERMER DANS UN CADENAS
Jeter un sort ▶ CÔTE D'IVOIRE

Expression qui revêt une connotation spirituelle. Le jeteur de sort serait le seul à posséder la clé du cadenas susceptible de libérer une âme possédée.

➡ Ayant la même signification au Cameroun, on dit plutôt « attacher au village ».

174. QUIZ
SE RÉDUIRE
Aller se coucher ▶ SUISSE

Écho à la forme recroquevillée du dormeur, qui donne l'impression visuelle d'un rapetissement.

175. DEVINEZ

Ce pauvre élève s'est fait **varger**
par son professeur.
Indice 1 : Car il n'arrête pas de bavarder en classe.
Indice 2 : Il doit avoir les fesses bien rouges.

176. QUIZ

Quand on approche des **6 mètres** :

A. On arrive dans une petite rue non bitumée.

B. On n'est pas loin du cimetière.

C. On est très près du but (de l'objectif).

D. On va traverser sur un passage piéton.

177. QUIZ

Qu'est-ce qu'**un criard** ?

A. Un poissonnier sur le marché.

B. Une personne au goût vestimentaire douteux.

C. Un klaxon.

D. Un bébé en pleurs.

175. DEVINEZ
VARGER
Marteler de coups, frapper très fort ▶ QUÉBEC

Tient son origine de la verge, instrument de châtiment corporel dont se servaient autrefois les professeurs d'école pour punir les élèves turbulents. Heureusement qu'on lui préfère aujourd'hui les heures de colle.

➡ En Afrique francophone, on utilisera plutôt le verbe *chicoter*.

176. QUIZ
LE 6 MÈTRES
Une petite rue non bitumée ▶ BURKINA FASO

Référence à la largeur des rues non goudronnées qu'on arpente dans les quartiers populaires des villes africaines. Pour emprunter une rue bitumée, on vous indiquera de *prendre le goudron*.

➡ Dans le jargon footballistique, on rappelle que « le 6 mètres » désigne une zone délimitée devant la cage du gardien de but.

177. QUIZ
UN CRIARD
Un klaxon ▶ QUÉBEC

Le son du klaxon ressemble à celui d'une voix criarde, agressive.

178. DEVINEZ

Julien a été **victime d'un coup d'État**.

Indice 1 : Mais il ne s'est pas laissé abattre longtemps.

Indice 2 : Il a déjà retrouvé quelqu'un.

179. QUIZ

On se bouche les oreilles lorsque résonne **le tambour des limaçons** ! Il s'agit :

A. De flatulences.

B. Du tonnerre.

C. De ronflements.

D. D'un tracteur.

180. QUIZ

Si un ami **coince la mine**, cela signifie que :

A. Il me regarde avec mépris.

B. Il fait la tête.

C. Il n'écrit plus, il a l'angoisse de la page blanche.

D. Il ne me fait plus jamais signe.

178. DEVINEZ
VICTIME D'UN COUP D'ÉTAT
Se faire larguer ▶ RWANDA

Comme lors d'un coup d'État, la victime d'une rupture amoureuse ne s'y attend pas et ne s'en remet pas facilement. On peut supposer que c'est le (ou la) rival(e) qui a commis le putsch.

179. QUIZ
LE TAMBOUR DES LIMAÇONS
Le tonnerre ▶ FRANCE, LANGUEDOC

Viendrait d'un jeu ancestral dans le sud de la France consistant à faire sortir les escargots de leur coquille en mimant le bruit du tonnerre tout en arrosant les limaçons. En effet, les escargots ont la réputation de s'extirper de leur coquille à l'approche d'un orage.

180. QUIZ
COINCER LA MINE
Faire la tête, bouder ▶ BURKINA FASO

Le mot *mine* fait ici écho à l'expression « avoir bonne mine », c'est-à-dire un visage en bonne santé. Idée que l'on retrouve chez Molière : « Je suis assez adroit, j'ai bon air, bonne mine, / les dents belles surtout et la taille fort fine » (*Le Misanthrope*). *Coincer la mine* est donc une façon imagée de désigner un fameux visage fermé, renfrogné.

Grille de résultats

QUESTION	Joueur 1	Joueur 2	Joueur 3	Joueur 4	Joueur 5
1					
2					
3					
4					
5					
6					
7					
8					
9					
10					
11					
12					
13					
14					
15					
16					
17					
18					

Grille de résultats

QUESTION	Joueur 1	Joueur 2	Joueur 3	Joueur 4	Joueur 5
19					
20					
21					
22					
23					
24					
25					
26					
27					
28					
29					
30					
31					
32					
33					
34					
35					
36					

Grille de résultats

QUESTION	Joueur 1	Joueur 2	Joueur 3	Joueur 4	Joueur 5
37					
38					
39					
40					
41					
42					
43					
44					
45					
46					
47					
48					
49					
50					
51					
52					
53					
54					

Grille de résultats

QUESTION	Joueur 1	Joueur 2	Joueur 3	Joueur 4	Joueur 5
55					
56					
57					
58					
59					
60					
61					
62					
63					
64					
65					
66					
67					
68					
69					
70					
71					
72					

Grille de résultats

QUESTION	Joueur 1	Joueur 2	Joueur 3	Joueur 4	Joueur 5
73					
74					
75					
76					
77					
78					
79					
80					
81					
82					
83					
84					
85					
86					
87					
88					
89					
90					

Grille de résultats

QUESTION	Joueur 1	Joueur 2	Joueur 3	Joueur 4	Joueur 5
91					
92					
93					
94					
95					
96					
97					
98					
99					
100					
101					
102					
103					
104					
105					
106					
107					
108					

Grille de résultats

QUESTION	Joueur 1	Joueur 2	Joueur 3	Joueur 4	Joueur 5
109					
110					
111					
112					
113					
114					
115					
116					
117					
118					
119					
120					
121					
122					
123					
124					
125					
126					

Grille de résultats

QUESTION	Joueur 1	Joueur 2	Joueur 3	Joueur 4	Joueur 5
127					
128					
129					
130					
131					
132					
133					
134					
135					
136					
137					
138					
139					
140					
141					
142					
143					
144					

Grille de résultats

QUESTION	Joueur 1	Joueur 2	Joueur 3	Joueur 4	Joueur 5
145					
146					
147					
148					
149					
150					
151					
152					
153					
154					
155					
156					
157					
158					
159					
160					
161					
162					

Grille de résultats

QUESTION	Joueur 1	Joueur 2	Joueur 3	Joueur 4	Joueur 5
163					
164					
165					
166					
167					
168					
169					
170					
171					
172					
173					
174					
175					
176					
177					
178					
179					
180					
TOTAL					

ORGANISATION
INTERNATIONALE DE
la francophonie

L'Organisation internationale de la francophonie (OIF) est une institution fondée sur le partage d'une langue, le français, et de valeurs communes. Elle rassemble à ce jour 84 États et gouvernements dont 58 membres et 26 observateurs. Le Rapport sur la langue française dans le monde 2014 établit à 274 millions le nombre de locuteurs de français.

Présente sur les cinq continents, l'OIF mène des actions politiques et de coopération dans les domaines prioritaires suivants : la langue française et la diversité culturelle et linguistique ; la paix, la démocratie et les droits de l'Homme ; l'éducation et la formation ; le développement durable et la solidarité. Dans l'ensemble de ses actions, l'OIF accorde une attention particulière aux jeunes et aux femmes ainsi qu'à l'accès aux technologies de l'information et de la communication.

La direction « Langue française, culture et diversités » de l'OIF développe de nombreux programmes de soutien aux expressions culturelles et à la créativité francophone en valorisant également la vitalité de la langue française, ses variétés et les enrichissements que lui apportent ses locuteurs situés sur les 5 continents.

La Secrétaire générale conduit l'action politique de la Francophonie, dont elle est la porte-parole et la représentante officielle au niveau international. Madame Michaëlle Jean est la Secrétaire générale de la Francophonie depuis janvier 2015.

58 États et gouvernements membres et associés

Albanie • Principauté d'Andorre • Arménie • Royaume de Belgique • Bénin • Bulgarie • Burkina Faso • Burundi • Cabo Verde • Cambodge • Cameroun • Canada • Canada-Nouveau-Brunswick • Canada-Québec • République centrafricaine • Chypre • Comores • Congo • République démocratique du Congo • Côte d'Ivoire • Djibouti • Dominique • Égypte • Ex-République yougoslave de Macédoine • France • Gabon • Ghana • Grèce • Guinée • Guinée-Bissau • Guinée équatoriale • Haïti • Laos • Liban • Luxembourg • Madagascar • Mali • Maroc • Maurice • Mauritanie • Moldavie • Principauté de Monaco • Niger • Nouvelle-Calédonie • Qatar • Roumanie • Rwanda • Sainte-Lucie • Sao Tomé-et-Principe • Sénégal • Seychelles • Suisse • Tchad • Togo • Tunisie • Vanuatu • Vietnam • Fédération Wallonie-Bruxelles

26 observateurs

Argentine • Autriche • Bosnie-Herzégovine • Canada-Ontario • Costa Rica • République de Corée • Croatie • République dominicaine • Émirats arabes unis • Estonie • Géorgie • Hongrie • Kosovo • Lettonie • Lituanie • Mexique • Monténégro • Mozambique • Pologne • Serbie • Slovaquie • Slovénie • République tchèque • Thaïlande • Ukraine • Uruguay

ORGANISATION INTERNATIONALE
DE LA FRANCOPHONIE
19-21, avenue Bosquet, 75007 Paris France
Tél. : +33 (0)1 44 37 33 00
www.francophonie.org

Le Livre de Poche s'engage pour
l'environnement en réduisant
l'empreinte carbone de ses livres.
Celle de cet exemplaire est de :
440 g éq. CO_2
Rendez-vous sur
www.livredepoche-durable.fr

PAPIER À BASE DE
FIBRES CERTIFIÉES

Composition réalisée par PCA

Achevé d'imprimer en mai 2017
en Espagne par Unigraf
Dépôt légal 1re publication : mai 2017
LIBRAIRIE GÉNÉRALE FRANÇAISE – 21, rue du Montparnasse –
75298 Paris Cedex 06

14/9539/5